Made in the USA
Columbia, SC
01 June 2022

61190881R00067